LE GÉANT
DES MONTAGNES

Cet ouvrage a initialement paru en langue anglaise en 2007
chez Orchard Books sous le titre :
Arcta, the mountain giant.
© Working Partners Limited 2007 pour le texte.
© David Wyatt 2007 pour la couverture.
© Orchard Books 2007 pour les illustrations.

© Hachette Livre, 2008 pour la présente édition.

Conception graphique et colorisation :
Valérie Gibert et Philippe Sedletzki.

Hachette Livre, 58, rue Jean Bleuzen, 92178 Vanves Cedex.

Adam Blade

**Adapté de l'anglais
par Blandine Longre**

LE GÉANT
DES MONTAGNES

hachette
JEUNESSE

ACES

RANDES PLAINES

PRAIRIES

LE PALAIS
DU ROI
HUGO

LA CITÉ

ERRINEL

TOM

Tom, le héros de cette histoire, aime l'action et l'aventure : il a toujours voulu devenir chevalier. Sa mission est risquée, et il lui arrive d'avoir peur… mais il sait aussi se montrer très malin ! Par chance, il peut compter sur son amie Elena, sur son cheval Tempête, et sur son épée, dont il se sert très bien. Son rêve le plus cher : retrouver son père, qu'il n'a jamais connu.

ELENA

Cette jeune orpheline accompagne Tom dans ses aventures. Courageuse, astucieuse, et plutôt têtue, elle est experte au tir à l'arc. Elle a tendance à se fâcher, surtout si Tom la taquine ! Mais elle n'abandonne jamais ses compagnons quand ils sont en danger. Avant de rencontrer Tom, son seul ami était Silver, un loup. Très attachée à Silver, elle s'inquiète souvent pour lui… parfois un peu trop !

Bienvenue à Avantia !

Je m'appelle Aduro. Je suis un bon sorcier et je vis au palais du roi Hugo.

Les temps sont difficiles. Dans les Textes Anciens, il est écrit qu'un jour, un grand danger menacera notre paisible royaume.

Ce jour est venu.

Malvel, un sorcier maléfique, a jeté un sort aux six Bêtes qui protègent notre territoire. Ferno, le dragon de feu, Sepron, le serpent de mer, Arcta, le géant des montagnes, Tagus, l'homme-cheval, Nanook, le monstre des neiges et Epos, l'oiseau-flamme cherchent à détruire notre royaume.

Mais les Textes Anciens prédisent aussi qu'un jeune garçon délivrera les Bêtes.

Nous ne connaissons pas encore ce héros, mais nous savons que son heure approche... Espérons qu'il ait le courage d'entreprendre cette Quête.

Souhaites-tu attendre son arrivée avec nous ?

Avantia te salue.

Aduro

Le royaume d'Avantia a trouvé son héros : Tom. Le roi l'a chargé de libérer les Bêtes magiques ensorcelées par Malvel. Lors de sa première aventure, Tom rencontre Elena ; grâce à elle, il parvient à délivrer Ferno le dragon. L'aventure suivante les entraîne au bord de l'océan, où ils doivent délivrer Sepron, le serpent de mer. Cette fois encore, c'est une victoire ! Mais Tom regrette que son père ne soit pas là pour partager sa joie.

Il faut pourtant repartir,
car une nouvelle mission l'attend…

Les chariots roulent lentement. Chargés de nourriture et de marchandises, ils se rendent vers une ville située dans les montagnes. La route est en pente et les chevaux ont du mal à avancer.

— On est bientôt arrivés ? demande un garçon assis dans le premier chariot.

Son père regarde le chemin étroit et dangereux : des rochers sont tombés sur la route, comme s'il y avait eu plusieurs éboulements.

— Un peu de patience, Jack. Tu vois ce sommet ? La ville est juste derrière.

Le garçon lève les yeux et aperçoit des nuages noirs qui se rassemblent dans le ciel. Soudain, le soleil disparaît et l'air devient plus frais.

Tandis que le chariot prend un virage, un vent glacé se lève. Jack frissonne.

— Une tempête se prépare, constate son père. Nous ferions mieux de nous dépêcher, ou nous allons rester coincés ici, lance-t-il aux autres marchands.

Ils continuent d'avancer, mais le vent souffle de plus en plus fort et siffle entre les arbres. Tout à coup, un bruit terrible résonne dans toute la vallée, et le sol se met à trembler.

Les chariots s'arrêtent et les marchands se regardent, affolés.

— Qu'est-ce qui se passe? demande Jack, en essayant de garder son calme.

— Je n'en sais rien, mon garçon, répond son père, qui semble effrayé lui aussi.

À présent, le sol tremble si fort que les chevaux se dressent sur leurs pattes arrière. Soudain, un des chariots bascule et les lourds tonneaux qu'il transportait tombent sur la route.

Au même instant, de gros rochers surgissent entre les arbres, et viennent s'écraser en travers du chemin, tout près de Jack et de son père. La route est bloquée!

Jack est le seul à voir l'effrayante créature qui se dresse au-dessus d'eux.

Une Bête géante, aussi haute que les arbres !

— Au secours ! s'écrie le garçon.

Chapitre un

Une nouvelle aventure

Tom et Elena s'arrêtent à un croisement. Une première route part vers l'est, en direction des plaines d'Avantia. La seconde mène aux montagnes, vers le nord du royaume.

Le garçon sait quel chemin il doit prendre, mais il a peur que cette nouvelle mission soit encore plus dangereuse que les autres. En frissonnant, Elena observe les montagnes couvertes de nuages sombres.

— Allons-y. Je suis sûr que tout va bien se passer, la rassure son ami. Après tout, je suis en sécurité avec toi et ce vieux chien, pas vrai ? ajoute-t-il avec un sourire.

— Tu parles de Silver ? s'étonne la jeune fille, qui siffle son loup et lui montre Tom. Apprends-lui les bonnes manières !

Silver bondit vers le garçon et mordille gentiment sa chaussure.

— Aïe ! s'écrie Tom en riant.

— Retire ce que tu as dit ! lui ordonne Elena.

— D'accord ! réplique Tom en souriant. Silver n'est pas un vieux chien !

Le loup s'arrête aussitôt et les quatre compagnons se remettent en marche vers le nord.

Le garçon pense à son père, Taladon l'Agile. Si seulement il savait que le roi a envoyé son fils en mission ! Mais Taladon est parti quand Tom n'était qu'un bébé...

Avant sa quête, Tom croyait que les Bêtes n'existaient pas. Mais maintenant qu'il a libéré Ferno le dragon et Sepron le serpent de mer, il sait que ce n'est pas une légende.

À présent, Elena et lui vont devoir affronter un nouveau danger.

Arcta, le géant des montagnes.

Un peu plus tard, ils s'arrêtent au pied d'une colline.

— Je vais vérifier qu'on va dans la bonne direction, dit

Tom en sortant sa carte magique.

Des montagnes de la taille d'un ongle surgissent du vieux parchemin.

— On devrait arriver à la ville d'ici demain, fait remarquer Elena, en regardant par-dessus l'épaule de son ami.

Tom examine attentivement la carte. La cité est entourée de cinq montagnes et le chemin qui y mène est bloqué par un tas de rochers. Il faut trouver un autre passage… Mais comment?

Ils montent sur la colline.

Arrivés en haut, ils s'arrêtent, émerveillés par le paysage des montagnes qui se détachent sur le ciel, et de leurs sommets étincelants au soleil.

— Comme c'est beau, murmure Elena.

Au même instant, ils aperçoivent un groupe d'hommes qui se dirigent vers eux.

Tom pose la main sur son épée, prêt à se battre… Mais l'un d'eux les salue de loin. Il porte un jeune garçon sur son épaule.

Ces hommes ont l'air épuisés, et un bandage entoure la tête du garçon.

— Avez-vous de l'eau ? demande l'homme. Nous avons perdu toutes nos provisions.

— Qu'est-ce qui vous est arrivé ? demande Tom, en lui tendant sa gourde.

— Nous sommes des marchands, répond l'homme en posant le garçon par terre pour l'aider à boire. On transportait des vivres jusqu'à la ville, quand il y a eu une chute de pierres sur la route.

19

Mais heureusement, nous avons pu nous en sortir.

— Des chutes de pierres ? s'étonne Elena. C'est bizarre…

— Oui, d'habitude, la montagne est plutôt tranquille, et…

— Le géant… chuchote le jeune garçon. C'était un géant…

Tom et Elena échangent un regard.

— Ne faites pas attention à Jack, dit l'un des marchands. Il a été blessé à la tête…

— Si j'étais vous, je ferais demi-tour, leur dit un autre

marchand. Le chemin est bloqué.

— Nous n'avons pas le
choix, répond Tom.

— Dans ce cas, prenez ceci,
lui dit l'homme en lui tendant
une corde.

— Merci !

Tom et Elena donnent un
peu de nourriture aux marchands, avant de leur dire au
revoir.

— Attention au géant...
murmure une dernière fois le
jeune blessé.

Les quatre compagnons se
remettent en route. Bientôt,

le ciel s'assombrit, une petite pluie fine se met à tomber et le sol devient boueux. Ils grimpent un peu plus haut sur les rochers quand, soudain, Silver pousse un grognement.

Tom descend de cheval et s'accroupit près du loup. Elena, toujours en selle, frissonne, tandis que Tempête s'agite un peu, les oreilles dressées.

— Calme-toi, lui dit la jeune fille, tout va bien...

Au même instant, elle se rend compte que le cheval, pourtant resté immobile, glisse lentement vers le bas !

— Tom ! s'écrie-t-elle. Le sol bouge !

— Saute ! crie le garçon.

Soudain, Tempête bascule et tombe lourdement sur le côté. Elena s'écrase sur le sol en poussant un hurlement.

— Tempête est entraîné par la boue ! lance-t-elle à Tom, paniquée.

Chapitre deux

Emportés !

om se retourne aussitôt: un épais torrent de boue descend la colline et se dirige droit sur eux !

Tempête parvient à se redresser, tandis que Silver tire Elena par la manche pour l'aider à se mettre à l'abri. Tom essaie de les rejoindre, mais en un instant le torrent le rattrape ! Il est aspiré par la boue épaisse qui tour-

billonne et qui l'entraîne vers le bas de la colline.

Quand la rivière de boue arrive à la hauteur d'Elena, la jeune fille est emportée à son tour. Elle attrape la main de Tom au passage, et la tient serrée un instant, mais leurs doigts glissent et Elena doit lâcher son ami.

Pendant ce temps, Silver a bondi au-dessus du torrent. Tempête donne des coups de sabot désespérés pour échapper à la coulée de boue, mais il finit par être emporté lui aussi.

— Je ne peux plus respirer ! crie Elena.

— Attrape les rênes de Tempête ! lui hurle Tom.

Elena tend le bras et réussit à s'agripper aux brides du cheval.

Tom, qui dévale toujours la colline, parvient à s'accrocher à un rocher. Horrifié, il voit Elena et Tempête s'écraser contre un bosquet d'arbres. Le cheval tente de se redresser en s'appuyant contre un tronc.

— Ne lâche pas les rênes ! crie-t-il à son amie.

Tom est épuisé, mais il essaie de grimper sur le rocher. Le sol tremble, la pierre est humide et glissante, mais il réussit finalement à se hisser. Il pousse un cri de triomphe.

Peu à peu, la boue coule plus

lentement, puis s'arrête enfin.

Certain qu'il n'y a plus de danger, Tom se laisse glisser au sol. Il s'essuie les yeux, couverts de boue. Tout autour de lui, la colline est ravagée.

— Tom ! l'appelle soudain Elena.

Elle est toujours près des arbres, avec Tempête, de la boue jusqu'à la taille. Tom va la rejoindre, et aperçoit Silver, qui court aussi vers eux.

Le garçon est tellement fatigué qu'il a l'impression de porter une lourde armure.

— J'ai eu si peur, dit Elena

en serrant Tom contre elle. J'ai cru qu'on allait mourir!

— Moi aussi, répond le garçon, les jambes tremblantes.

— Tu es gelé, constate la jeune fille.

— Ça va aller, la rassure-t-il. On va se réchauffer en marchant.

— Bonne idée. De toute façon, il faut qu'on trouve un abri pour dormir.

Ils avancent lentement. La nuit est tombée et l'air est plus froid. Un peu plus haut sur la colline, ils aperçoivent une grotte.

— Installons-nous là, pro-
pose Tom.

— Comment on fera s'il y a
une autre coulée de boue ?
demande Elena. On serait
piégé, dans cette caverne.

Mais ils n'ont pas le choix :
il fait trop froid pour passer
la nuit dehors. Dans la grotte,
ils se couchent sur des feuilles
sèches. Le garçon aimerait
allumer un feu et manger
quelque chose… Mais une fois
allongé, il s'endort aussitôt.

Chapitre trois

À l'ombre des montagnes

Le lendemain matin, Tom et Elena se réveillent tard. Le soleil brille déjà. Le garçon se frotte les yeux et observe les murs, étonné : ils sont couverts de peintures !

Ces dessins racontent une histoire : Tom reconnaît les cinq montagnes de sa carte et, à côté, des silhouettes armées de lances et de bâtons. Plus loin sur le mur, la peinture représente une main énorme et des hommes qui la regardent avec respect.

Elena se réveille à son tour, et découvre les murs de la grotte.

— Tu sais qui a peint tout ça?

— Non, répond le garçon, mais ça a l'air très ancien…

— On devrait repartir, dit la jeune fille en se levant.

Dès qu'ils sortent de la grotte, la lumière du soleil les aveugle. Le torrent de boue a séché, mais à présent, la route qu'ils suivaient est bloquée. Ils doivent redescendre, puis faire le tour de la colline pour rejoindre une autre vallée.

Ils se mettent en marche, Tempête et Silver à leurs côtés. Le sol est couvert de cailloux et de débris, et ils avancent en faisant attention de ne pas glisser.

Arrivé en bas, Tom examine sa carte.

— C'est bizarre. On est dans une vallée entourée de cinq montagnes et le chemin s'arrête ici. Mais où est la ville ?

Soudain, le sol craque sous les sabots de Tempête.

Tom se penche vers le sol et découvre des morceaux de tuile.

— Elena ! On est sur le toit d'une maison !

— Une maison ensevelie sous des rochers !

— Tu as vu, là-bas ? dit Tom. On dirait que toute une rue a été recouverte de pierres.

Ils suivent le chemin formé par les pierres. Bientôt, ils découvrent une place entourée de maisons qui n'ont pas été détruites par les rochers. Mais l'endroit est désert.

— J'espère que les habitants ont pu se réfugier quelque part, dit Elena.

Tout à coup, ils entendent des cris.

— Au voleur ! Au secours !

Tom brandit son épée et Tempête part au galop dans une rue pavée.

— Silver ne nous suit pas ! s'exclame Elena.

— Nous reviendrons le chercher, dit Tom. Pour l'instant, quelqu'un a besoin d'aide.

Un peu plus loin, trois hommes chargés de sacs

barrent la route. Tom tire sur les rênes.

L'un des hommes a remarqué l'arme du garçon.

— Oh! Un brave petit chevalier! se moque-t-il.

Au même instant, un vieil

homme rejoint Tom et Elena et désigne les trois hommes.

— Empêchez-les de s'enfuir ! Ils ont volé de la nourriture !

— On a des familles à nourrir ! répond l'un des voleurs.

— Ce n'est pas une raison

pour voler ! réplique le vieil homme d'un air sévère.

Tom comprend que ces gens ne sont pas malhonnêtes, seulement désespérés. Ils sont obligés de voler pour survivre.

Au même instant, le plus grand des trois se tourne vers Tom.

— Laisse-nous passer, gamin, ou tu le regretteras !

Chapitre quatre

Prisonniers !

om met pied à terre.
L'épée tendue devant lui, il est
prêt à se battre. Elena bondit à
ses côtés et prépare son arc.

Soudain, ils entendent un grognement dans leur dos. Silver ! La
fourrure hérissée, les babines
retroussées, il s'approche des
voleurs.

L'un d'eux laisse tomber son

sac sur le sol avant de s'enfuir en courant, bientôt suivi par ses compagnons terrifiés.

Le vieil homme tremble de peur.

— Le loup ne vous fera aucun mal, le rassure Tom. Vous n'êtes pas blessé?

— Tout va bien. Je suis Bertrand, le maire de cette ville, et je vous remercie.

Soudain, on entend un énorme bruit au loin.

— Une autre chute de pierres! s'écrie Bertrand.

Tom aide le vieil homme à monter sur Tempête et grimpe

42

devant lui. Elena et Silver les suivent au pas de course.

Ils rejoignent un groupe réuni devant une des maisons ensevelies.

— Des rochers viennent de recouvrir cette maison ! leur explique une femme. Les trois voleurs sont coincés à l'intérieur !

— Bien fait pour eux, ajoute un homme.

— Laissons-les mourir ici ! lance un autre.

— Non ! s'exclame Tom. Il faut les aider !

Au même instant, un cri de

fureur résonne dans la montagne.

— Vous avez entendu ? demande Bertrand, affolé.

«Arcta!» pense Tom.

Mais son attention est attirée par des bruits de pas derrière lui. Tom se retourne et découvre un groupe d'hommes costauds qui s'approchent de lui.

Chapitre cinq

Sauvés !

Le garçon serre son épée.

— Nous venons vous aider, dit l'un des hommes.

Et, sans perdre un instant, ils se mettent à dégager les rochers qui se trouvent devant la porte de la maison. Mais certains sont trop lourds.

— On va y passer toute la nuit ! constate l'un d'eux.

— La maison peut s'écrouler d'une minute à l'autre! répond Tom, désespéré. Qu'est-ce qu'on va faire?

À cet instant, il se rappelle ce que son oncle lui a appris: chaque objet a son point faible. Tom examine le plus gros rocher et s'aperçoit qu'il est légèrement fendu. Le garçon se concentre sur la petite fissure. Puis, il fait retomber son épée à cet endroit précis de la roche. Son bras tremble, mais rien ne bouge.

Il recommence et, cette fois, frappe plus fort.

Tous entendent un petit
craquement et, à leur grande
surprise, voient le rocher se
fendre en plusieurs morceaux.
Les hommes poussent les

pierres sur le côté pendant que Tom brise d'autres rochers. La porte de la maison apparaît peu à peu et peut enfin être ouverte. Les trois voleurs sortent en titubant.

— Merci ! s'écrient-ils.

Le plus grand des trois serre la main de Tom.

— Je m'appelle Thibault, et je te dois la vie !

— Bravo, mon garçon, ajoute Bertrand. Je vous invite chez moi : c'est là que les autres habitants se sont réfugiés.

— Merci, répond Tom, mais ce sera pour plus tard. Il y a

une chose que nous devons faire, et ça ne peut pas attendre.

Il se tourne vers Elena.

— On doit retrouver Arcta, chuchote-t-il. Avant qu'il détruise d'autres maisons.

— Vous voulez aller dans la montagne ? leur dit Thibault, l'air inquiet.

Tom et Elena se regardent, mais ne répondent rien.

— Vous avez entendu parler d'Arcta ? demande Thibault.

— Tout le monde connaît ces vieilles légendes, réplique Elena.

— Mais… vous pensez qu'il

existe vraiment? les questionne Thibault.

— Oui. Savez-vous où on peut le trouver?

L'homme soupire.

— Eh bien… on dit qu'il vit près d'un endroit appelé le Nid de l'Aigle… prenez le chemin le plus large. Plus loin, il se divise en cinq sentiers. Restez toujours sur la droite. Au bout d'une heure de marche, vous arriverez sur un plateau rocheux. Mais soyez prudents!

Tom et Elena grimpent sur Tempête, qui part au trot.

Le chemin monte vers les sommets, cachés derrière les nuages. Tom a peur, mais il est aussi très excité.

Plus ils avancent, plus l'air devient froid. Ils ont un peu plus de mal à respirer. Ils arrivent à un croisement d'où partent cinq routes différentes.

— Prenons à droite, comme nous l'a conseillé Thibault, dit Tom.

Soudain, Silver se met à aboyer et part en courant vers le sentier de gauche.

— Qu'est-ce qui lui arrive ? demande Elena.

— Il veut qu'on le suive !
s'exclame Tom. Il sait peut-
être où se trouve Arcta.

Tempête part au galop derrière le loup.

Tout à coup, Elena pousse un cri.

— Silver! Reviens tout de suite! lance-t-elle.

— Qu'est-ce qu'il y a? s'étonne le garçon.

— Regarde! lui dit-elle. Une chute de pierres!

Tom lève les yeux et sent un frisson glacé lui parcourir le dos: un nuage de poussière noire s'élève au-dessus de la montagne et se dirige droit sur eux!

Chapitre six

L'arrivée de la Bête

Pendant une seconde, Tom hésite. Ils ont peut-être encore le temps de s'enfuir. Mais ils ne peuvent pas abandonner Silver ! Il est déjà loin devant eux sur le chemin...

— Regarde ! Il est là ! s'écrie Elena.

Ils voient une silhouette grise et blanche entrer dans une grotte.

— On doit aller le cher-
cher! ajoute-t-elle.

Elle descend du cheval et
part en courant.

Tom lève les yeux et aper-

çoit des roches énormes qui foncent droit sur eux. Elena rejoint Silver au moment où les premières pierres commencent à pleuvoir.

Tempête se dresse sur ses pattes arrière. « On risque d'être enterrés vivants si on reste là ! » pense Tom. Il n'a pas envie d'abandonner Elena... mais il n'a pas le choix : il reviendra la chercher plus tard. Penché en avant sur sa selle, il encourage son cheval à descendre la pente au galop, tandis que des roches tombent autour d'eux.

— Plus vite, Tempête !

Soudain, une pierre le frappe à l'épaule. Il pousse un cri de douleur, bascule de

son cheval et tombe brutale-
ment sur le sol.

Il entend le bruit des sabots
de Tempête qui s'éloigne.

Tom roule jusqu'au bord de la route et se réfugie dans le fossé.

Des rochers passent tout près de lui, il a la bouche et les yeux couverts de terre. Quelques instants plus tard, le calme est revenu. Tom reprend son souffle et se redresse.

— Elena ! Silver ! appelle le garçon.

Où sont-ils ?

Tout à coup, il entend un faible aboiement. Il remonte vers la caverne, mais l'entrée est bloquée par des pierres !

— Tom ! On est coincés !

crie Elena, qui l'a entendu arriver. On va manquer d'air !

Le garçon regarde autour de lui. Il faut qu'il sauve ses amis, mais comment faire ?

Au même instant, un bruit sourd fait trembler le sol. Des pas qui se rapprochent ! Tom se retourne.

Une créature gigantesque apparaît sur le chemin. Elle s'arrête et pousse un hurlement terrifiant.

Arcta, le géant des montagnes, est plus haut et plus large qu'un grand arbre. Ses bras et ses jambes sont

immenses et musclés, et ses mains se terminent par des griffes jaunes. Sa bouche ouverte laisse voir d'horribles dents. Contrairement à Ferno et à Sepron, la Bête n'a pas de collier autour du cou. Mais un bandeau rouge recouvre ses yeux. Le géant aveuglé est furieux.

Même si Tom est triste pour Arcta, il sent la peur monter en lui.

— Tom ! l'appelle Elena. Qu'est-ce qui se passe ?

— Chut !

Trop tard. Le géant a

entendu la voix de la jeune fille. Il tourne lentement la tête vers Tom et se met en marche…

Chapitre sept

Une course contre le temps

Tom se couche sur le sol. Le géant s'est arrêté et renifle l'air. Tom comprend que la boue et la terre qui le recouvrent doivent cacher son odeur. Il essaie de retenir sa respiration. Mais comment faire pour demander à Elena et à Silver de rester silencieux ?

À cet instant, le loup laisse échapper un grognement. Arcta

65

l'entend et se rapproche de la caverne, puis s'arrête à nouveau.

Tom n'ose pas bouger, même si les pieds de la créature sont tout près de lui. Il sera écrasé si Arcta fait un autre pas !

Mais la Bête fait demi-tour, et le garçon laisse échapper un soupir de soulagement.

Au même instant, Silver grogne à nouveau, plus fort cette fois.

Arcta se retourne, pousse un hurlement et revient vers la grotte, l'air furieux.

Tom comprend qu'il doit

éloigner la créature de ses amis. Il se redresse et redescend le chemin, courant aussi vite que possible. Pourvu que la Bête le poursuive ! Il passe devant Tempête, s'empare de la corde du marchand, puis quitte le sentier pour se faufiler au milieu des sapins.

« Il faut que j'arrive à atteindre la tête d'Arcta, pense-t-il, pour détacher le bandeau qui lui couvre les yeux. »

Courant aussi vite qu'il peut, il entend Arcta arriver derrière lui, brisant les arbres sur son passage.

Tom sait que le géant va le rattraper. En traversant un buisson il découvre un arbre immense, dont le tronc semble creux. Le garçon saute à l'intérieur pour se mettre à l'abri.

Tom entend un terrible rugissement, puis le silence retombe. Le garçon attend plusieurs secondes avant de risquer un œil à l'extérieur.

Le géant est immobile, à quelques mètres de lui. Le moment est venu de grimper en haut de l'arbre. De là, Tom pourra atteindre le bandeau d'Arcta.

Mais avant que Tom sorte de l'arbre, la Bête s'éloigne.

Aussitôt, le garçon la suit. Il sait qu'il doit faire vite : Elena et Silver vont manquer d'air dans la grotte ! Il grimpe en silence, loin derrière la Bête. Il a du mal à garder l'équilibre sur les cailloux, mais il finit par arriver sur un plateau rocheux.

Il se trouve maintenant au-dessus d'Arcta. En baissant les yeux, il voit le géant, qui s'est arrêté au bord d'un précipice. Il se tient la tête entre les mains. Soudain, le regard de

Tom est attiré par un aigle, qui se laisse porter par le vent, là-haut dans le ciel. Ce doit être pour ça qu'on appelle cet endroit le Nid de l'aigle.

Mais Tom n'a pas le temps de se poser plus de questions : il doit libérer la Bête du maléfice ! Il se couche à plat ventre pour tenter d'atteindre le bandeau. Le cœur battant, il tend les bras, puis tire lentement

sur le nœud, qui se desserre
un peu.

Il tire un peu plus fort.

Mais Arcta a senti sa pré-
sence ! Il se retourne en
poussant un hurlement et
lance son bras dans la direction de Tom. Sa grosse main

s'écrase sur la roche, tout près du garçon. Horrifié, Tom voit une fissure se former dans le rocher. Des pierres tombent dans le vide. Le chemin sur lequel il se tient va s'effondrer!

Tom n'a plus le choix. Il

prend une profonde inspiration, se relève et bondit en direction du géant. Il ne retombe pas sur son crâne, mais réussit à s'agripper au bandeau.

Arcta se redresse, et pousse un cri terrifiant, mais Tom ne lâche pas prise. Comme enragé, Arcta avance sur le sentier étroit, et soudain, perd l'équilibre !

Tom, toujours accroché au bandeau, plonge dans le vide avec la Bête !

Chapitre huit

Au bord du gouffre

Tom et Arcta tombent en chute libre durant quelques secondes, puis atterrissent sur une corniche. Un instant, Tom croit être sauvé. Mais, emportés par leur élan, ils plongent de nouveau dans le gouffre!

Le géant essaie désespérément de s'agripper à la roche. D'un mouvement de tête, il se débarrasse de Tom. Le garçon retombe sur la pente, mais réussit à s'agripper à la roche. Il baisse les yeux vers le vide et sent la terreur l'envahir. À côté de lui, il voit Arcta, qui a finalement pu s'accrocher lui aussi.

Tous les deux sont suspendus au-dessus du précipice.

Tom a des fourmis dans les mains et ses doigts sont tout engourdis. Il lève les yeux et s'aperçoit qu'un sentier passe à moins d'un mètre au-dessus de lui.

Il balance ses jambes contre la paroi rocheuse et parvient à trouver un appui et à poser son pied. Il grimpe difficile-ment jusqu'au sentier.

Plaqué contre la roche, le géant ne bouge pas.

C'est maintenant ou jamais !

Tom prend la corde que lui a donnée le marchand et l'attache à la racine d'un arbre. Il enroule l'autre bout autour de sa taille.

Puis il grimpe sur la main d'Arcta et descend lentement le long de son bras. La Bête pousse un hurlement, mais Tom sait qu'il ne craint rien : tant que le géant reste agrippé à la roche, il ne peut pas l'attraper.

Tom évite de regarder vers le bas et continue d'avancer. Il atteint l'épaule d'Arcta, puis son cou.

Là, il s'empare du nœud et tire de toutes ses forces.

Enfin, le bandeau se desserre... puis disparaît !

Arcta, le géant des montagnes, est enfin libre!

Chapitre neuf

Une nouvelle aventure

rcta pousse un cri de soulagement. Tom perd l'équilibre et bascule dans le vide. Heureusement, la corde enroulée autour de sa taille le retient.

Nez à nez avec le géant, Tom se rend compte qu'il n'a qu'un seul œil, placé au milieu du front !

Une fois la surprise passée, le garçon aperçoit une petite plate-forme, à la gauche du géant. Il la pointe du doigt, en espérant que la Bête comprendra.

Aussitôt, Arcta attrape la corde de Tom et le hisse jusqu'au sentier. Le garçon se retrouve assis par terre, aux pieds de la Bête. Il pousse un soupir de soulagement : il a rempli sa mission. Puis, il se rappelle qu'Elena et Silver sont toujours enfermés dans la grotte !

Il lève les yeux et voit le géant qui l'observe, curieux.

— J'ai besoin de ton aide ! s'écrie-t-il en se relevant. Mes amis sont coincés dans la caverne, là-bas, ajoute-t-il en la montrant du doigt.

Sans hésiter, la Bête attrape Tom et descend à toute allure vers la grotte, où Tempête les attend.

Arcta pose Tom sur le sol et, d'un seul geste, écarte les rochers qui bloquent l'entrée de la grotte. Le garçon jette un coup d'œil à l'intérieur, mais il y a trop de poussière, et il ne voit rien.

Tout à coup, Silver bondit hors de la caverne.

— Silver ! Tu es vivant !

s'écrie Tom. Où est Elena ?

— Je suis là, répond la jeune fille d'une voix faible.

Tom se précipite dans la grotte. Il trouve son amie étendue dans le noir, le visage pâle, l'air épuisée. Mais elle respire encore !

Il la prend dans ses bras et la porte à l'extérieur de la caverne.

— Tu as réussi, Tom, murmure Elena, en découvrant Arcta. Tu sais, il n'a pas l'air si méchant que ça, finalement.

— Tu as raison, répond-il en souriant.

Il pose son amie sur le sol. Au même instant, une plume descend doucement du ciel, et vient atterrir juste à côté de lui.

Une plume d'aigle ! Tom lève les yeux vers Arcta, qui le regarde en souriant.

Le garçon sait exactement ce qu'il doit faire de ce cadeau. Il attrape son bouclier et y place la plume. Aussitôt, le bois du bouclier se referme autour d'elle, comme avec l'écaille de Ferno et la dent de Sepron.

Le géant pousse un grognement, puis s'éloigne vers les montagnes en saluant les deux amis de la main.

Au même instant, trois louveteaux bondissent hors de la grotte !

— Je les ai trouvés là, explique Elena. C'est ce qui a attiré Silver jusqu'ici.

— Il a dû sentir qu'ils étaient en danger, répond le garçon.

— Regarde ! s'exclame la jeune fille en indiquant un loup blanc qui attend un peu plus loin. Ça doit être leur mère !

Les louveteaux rejoignent aussitôt la louve, et toute la famille repart vers la montagne.

— On a réussi ! s'écrie Tom.

Maintenant qu'ils ne sont plus en danger, il se sent plein d'énergie.

Il attrape les mains d'Elena et l'entraîne dans une danse improvisée, sans remarquer la silhouette qui est apparue à l'entrée de la grotte.

Soudain, ils s'arrêtent, un peu étourdis. Tom tourne la tête.

— Aduro !

Il sait que c'est une vision magique, mais il est heureux de retrouver les yeux malicieux du sorcier.

— Nous avons libéré une troisième Bête, annonce Tom avec fierté.

— Oui, je sais, leur dit Aduro. Félicitations ! Grâce à vous, le Royaume d'Avantia sera bientôt sauvé.

Tom profite de l'occasion pour essayer d'interroger Aduro.

— J'aimerais tant revoir mon père, commence-t-il.

— Je suis sûr qu'il serait

content de toi, répond gentiment Aduro. Ton oncle et ta tante savent que le roi t'a confié une mission, et ils sont fiers de toi. Je vois qu'Arcta t'a donné une plume d'aigle. Elle te protégera : si un jour tu tombes de très haut, tiens le bouclier au-dessus de ta tête, il ralentira ta chute.

Une fois de plus, Tom n'a pas eu de réponse, mais les paroles du sorcier lui redonnent du courage. Il regarde Elena en souriant.

— D'autres dangers vous

attendent. Souhaitez-vous continuer? leur demande le vieil homme.

Tempête choisit ce moment pour hennir et Silver pour aboyer, comme s'ils répondaient à Aduro.

— Oui! répond Tom d'un air décidé.

— Dans ce cas, vous allez partir vers le sud, dans les plaines. Une autre Bête vous y attend: Tagus, l'homme-cheval. Avant d'être ensorcelé par Malvel, il protégeait les troupeaux. Maintenant, il attaque le bétail.

— Nous le retrouverons, lance Tom.

— Bonne chance ! Mais d'abord, allez prévenir Bertrand que sa ville est hors de danger.

— D'accord, promettent Tom et Elena.

Le sorcier les salue d'un signe de la main, puis disparaît.

Tom et Elena restent immobiles quelques instants. Tous les deux pensent à leur prochaine mission… Puis la jeune fille se tourne vers son ami. Le garçon lui sourit.

Ils vont encore rencontrer

bien des dangers, mais ils savent qu'ils les affronteront ensemble.

Fin

Grâce à Tom et à son amie Elena, Arcta,
le géant des montagnes, est enfin libre !
Mais leur quête est loin d'être achevée...
Aduro le sorcier leur a confié une nouvelle
mission : ils doivent partir à la recherche
d'un monstre plus terrible encore, Tagus,
l'homme-cheval, qui menace les habitants
des plaines. Réussiront-ils à le délivrer
du sortilège de Malvel ?

Découvre la suite des aventures
de Tom dans le tome 4
de **Beast Quest** :
L'HOMME-CHEVAL